J'appre
à lir
avec Sami

CW00401135

La liste de Sami

hachette
ÉDUCATION

Avec Sami et Julie, lire est un plaisir !

Avant de lire l'histoire

- Parlez ensemble du titre et de l'illustration en couverture, afin de préparer la compréhension globale de l'histoire.
- Vous pouvez, dans un premier temps, lire l'histoire en entier à votre enfant, pour qu'ensuite il la lise seul.
- Si besoin, proposez les activités de préparation à la lecture aux pages 4 et 5. Elles permettront de déchiffrer les mots les plus difficiles.

Après avoir lu l'histoire

- Parlez ensemble de l'histoire en posant les questions de la page 30 : « As-tu bien compris l'histoire ? »
- Vous pouvez aussi parler ensemble de ses réactions, de son avis, en vous appuyant sur les questions de la page 31 : « Et toi, qu'en penses-tu ? »

Bonne lecture !

Couverture : Mélissa Chalot
Maquette intérieure : Mélissa Chalot
Mise en pages : Typo-Virgule
Illustrations : Thérèse Bonté
Édition : Laurence Lesbre
Relecture ortho-typo : Jean-Pierre Leblan

ISBN : 978-2-01-701215-3
© Hachette Livre 2017.

Les personnages de l'histoire

Pour préparer la lecture

1 Montre le dessin quand tu entends le son (o) dans le mot.

2 Montre le dessin quand tu entends le son (a) dans le mot.

3 Lis ces syllabes.

| sa | mi | af | fa | pa | ap |

| ma | na | man | lis | te | tal |

4 Lis ces mots-outils.

est une de des un

et la les du là

5 Lis les mots de l'histoire.

pomme de terre   rosbif   botte de radis

olive verte   tulipes   salami

Sami est affamé.

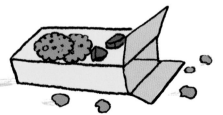

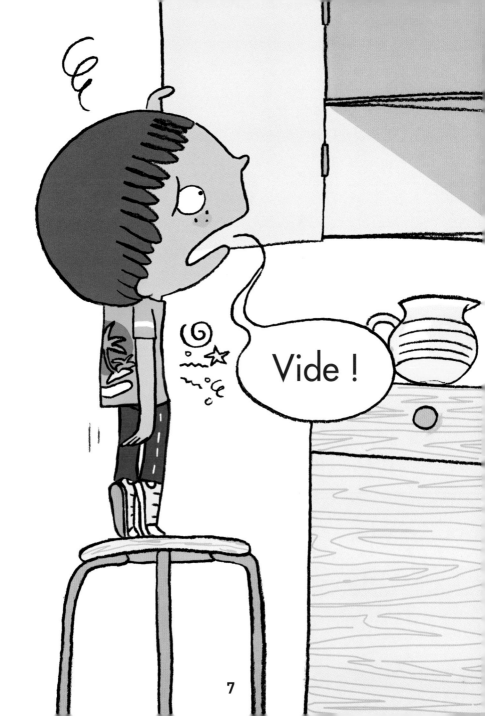

Maman donne une liste

à Sami.

Papa appelle Tobi.

Sur la liste, il y a :

- 6 tomates bio
- 5 pommes de terre
- une botte de radis
- des olives vertes
- des bananes
- 8 sardines
- un rosbif
de la tome de brebis

– 6 tomates bio,

5 pommes de terre...

et un énorme ananas !

dit Papa.

Sami a un petit radis.

12

13

– 8 sardines, dit Sami.

Il donne 4 €.

De la tome de brebis :

Sami adore !

Maman adore les surprises.

Des roses ?

Du lilas ?

Des tulipes ?

– Papa, tu as vu Tobi ?

dit Sami.

– Tobi ?

Tobi a disparu !

Il est perdu !

23

Sami a perdu Tobi.

Tobi est là !

Il bave à l'étal

des rosbifs, du salami,

du lard fumé, des pâtés

et des terrines...

À midi :
salade
de tomates,
rosbif-patates
et tarte
à l'ananas !

29

As-tu bien compris l'histoire ?

1 Avec qui Sami va-t-il au marché ?

2 Combien coûtent les sardines ?

3 Qui a disparu ?

4 Pourquoi Sami et Tobi n'ont-ils plus faim en rentrant du marché ?

5 Sais-tu de quelle couleur est le lilas ?

Et toi, qu'en penses-tu ?

Est-ce que tu vas faire les courses avec tes parents ?

Sami adore la tome de brebis. Et toi, qu'est-ce que tu aimes manger ?

Est-ce que tu t'es déjà perdu comme Tobi ?

Offres-tu des fleurs à ta maman ?

Lire pas à pas
avec Sami et Julie

Début de CP

Niveau 1

a e i o u y é/è/ê
b d f l m n p r s t v
et/est un/une

Milieu de CP

Niveau 2

c/k/qu ch h ph
z/s=z ce/ci
ou/on an/en oi/oin
in ei/ai eu/œu
les/des/mes/tes/ses
g/j ge/gi gn gu
er/ier/ez/et

Fin de CP

Niveau 3

ef/er/ec/ep/es
ill/aill/eill/euill/ouill x y w
sp/st/sc ion/ien
au/eau ain/ein ti=si

Achevé d'imprimer en Espagne
par UNIGRAF
Depôt légal : Octobre 2017
Collection nº 12 - Édition 02
73/3474/6